OWAIN GLYN DŴR

1400 - 2000

darluniau gan / pictures by

MARGARET JONES

cerddi Cymraeg gan

IWAN LLWYD

English poems by

GILLIAN CLARKE

LLYFRGELL GENEDLAETHOL CYMRU ABERYSTWYTH
THE NATIONAL LIBRARY OF WALES ABERYSTWYTH

ISBN 1 86225 015 4

Cyhoeddwyd ar achlysur arddangosfa Owain Glyn Dŵr 1400 - 2000
Llyfrgell Genedlaethol Cymru
8 Ebrill - 30 Medi 2000

Dylunio a chynhyrchu: Ian Kane a Chris Neale. Argraffu: MWL Print Group Cyf, Pont-y-pŵl

Mae cofnod catalogio'r gyfrol hon ar gael gan y Llyfrgell Brydeinig

Published to accompany the exhibition Owain Glyn Dŵr 1400 - 2000
National Library of Wales
8 April - 30 September 2000

Design and production: Ian Kane and Chris Neale. Printing: MWL Print Group Ltd, Pontypool

A catalogue record for this book is available from the British Library

Rhagair

Ddydd Iau, 16 Medi 1400 cyfarfu cwmni yng Nglyndyfrdwy i gyhoeddi Owain, arglwydd Glyndyfrdwy a Chynllaith Owain, yn dywysog Cymru. Gallai'r Owain hwn olrhain ei dras i dywysogion Gwynedd a Phowys, a phriodol oedd ei anrhydeddu â'i deitl newydd. Yr oedd yn uchelwr o'r iawn ryw. Cawsai addysg yn Neuaddau'r Frawdlys yn Llundain, a bu'n gwasanaethu ym myddinoedd y brenin, yng nghwmni uchelwyr Lloegr, ar ymgyrchoedd yn yr Alban. Fel arglwydd ei diroedd cadwai lys yn Sycharth lle y noddai feirdd megis Iolo Goch a dathlu gwerthoedd gorau ei dras bendefigaidd.

Ond nid hedd digwmwl a geid yng Nghymru 1400. Bu anniddigrwydd y Cymry yn erbyn llywodraeth Lloegr yn mudlosgi ers cenedlaethau wrth i faich trethi drymhau a gormes arglwyddi'r Mers gynyddu. Pan gododd anghydfod tiriogaethol rhwng Owain a'r Arglwydd Grey o Ruthun, ni ddangosodd senedd y brenin ddim cydymdeimlad ag Owain nac â'r 'dihirod' o Gymry. Ychydig ddyddiau wedi ei gyhoeddi'n dywysog, ymosododd Owain a'i ddilynwyr ar dref Rhuthun.

Preface

On Thursday, 16 September 1400 a group of people met at Glyndyfrdwy to proclaim Owain, lord of Glyndyfrdwy and Cynllaith Owain, prince of Wales. This Owain could trace his ancestry to the princes of Gwynedd and Powys, and his new title was an appropriate one. He was a true nobleman, who had received training at the Inns of Court in London, and had served in the armies of the English king, alongside English nobles, on campaigns in Scotland. As lord of his own lands he held court at Sycharth where poets such as Iolo Goch enjoyed his patronage and celebrated the values of his noble lineage.

But Wales in 1400 was not a peaceful place. For generations Welsh discontent with English government had been smouldering as the burden of taxes grew heavier and oppression by the Marcher lords grew worse. When a dispute over lands arose between Owain and Lord Grey of Rhuthun, the king's parliament showed no sympathy with Owain or the Welsh 'rascals'. A few days after his proclamation as prince, Owain and his followers attacked the town of Rhuthun.

Dros y blynyddoedd nesaf bu cynnwrf ysbeidiol ym mhob rhan o Gymru. Ddydd Gwener y Groglith 1401 cipiodd Gwilym a Rhys ap Tudur o Benmynydd gastell Conwy, a'i ddal am ychydig. Daeth yn fwy anodd i weision y brenin gasglu trethi, a chafwyd cyrchoedd milwrol yn y gogledd a'r gorllewin. Ofer fu ymdrechion Lloegr i dawelu'r cynnwrf. Yn ystod haf 1402 cafodd y Cymry fuddugoliaeth ar Fryn Glas, a chipio Edmwnd Mortimer, ewythr ardalydd y Mers. Ond pan ddaeth byddin y brenin i'r dyffrynnoedd ciliai'r Cymry i'r mynydd-dir; methiant llwyr fu ymgyrch Harri IV i ddial arnynt ac fe'u cyhuddodd o gonsurio tywydd erchyll er mwyn difa'u gelynion.

Erbyn 1403-4 gwan iawn oedd gafael Lloegr ar Gymru. Er i Sycharth a Glyndyfrdwy gael eu difa gan Harri, mab y brenin, cryfhau yr oedd dylanwad Owain, a syrthiodd cestyll Harlech ac Aberystwyth i'w feddiant. Yn 1404 cynullodd ei senedd ei hun a dechreuodd ddatblygu gweledigaeth o eglwys annibynnol a dwy brifysgol i Gymru. Crisialwyd y weledigaeth yn ddiweddarach mewn ymgyrch ddiplomyddol i ennill cefnogaeth brenin Ffrainc.

During the years that followed there were intermittent uprisings throughout Wales. On Good Friday 1401 Gwilym and Rhys ap Tudur from Penmynydd in Anglesey captured Conwy castle, and held it for a brief period. It became increasingly difficult for the king's officials to collect taxes, but in spite of military activity in north and west Wales, English attempts to quell the rising met with little success. During the summer of 1402 the Welsh achieved a notable victory at Pilleth, capturing Edmund Mortimer, uncle of the earl of March. When the king's armies appeared in the valleys, however, the Welsh retreated to the mountains, and Henry IV's campaign of retaliation proved a complete failure, so much so that he accused the Welsh of using sorcery to inflict appalling weather on their enemies.

By 1403-4 the English hold on Wales was weak. Though Sycharth and Glyndyfrdwy were destroyed by the king's son, Henry, Owain's influence continued to grow. The castles of Harlech and Aberystwyth fell to him. In 1404 he summoned his own parliament and began to develop a vision of an independent church and two universities for Wales, a vision which subsequently led to diplomatic efforts to gain the support of the king of France.

Er gwaethaf addewidion, siomedig fu cyfraniad Ffrainc o blaid y gwrthryfel. Cyrhaeddodd llu o filwyr dde Cymru ond ni bu eu cymorth yn fodd i gryfhau sefyllfa'r Cymry. Gwelwyd erbyn 1406 fod cefnogaeth i Owain yn dechrau edwino: yn ystod y flwyddyn honno ildiodd Môn a Gŵyr i awdurdod y brenin. Am fod tir Cymru wedi'i anrheithio gan ryfel, a masnach â Lloegr wedi'i gwahardd, ni allai'r Cymry barhau i'w cynnal eu hunain. Daliasant eu gafael ar Aberystwyth tan 1408, ond pan ildiodd Harlech yn gynnar yn 1409 cipiwyd gwraig Owain ac eraill o'i deulu i Lundain. O dipyn i beth peidiodd y gwrthryfel, er i Loegr orfod cadw byddinoedd i gadw'r heddwch yng Nghymru am flynyddoedd eto. Aeth Owain i ymguddio, yn ôl traddodiad, yng nghartref ei ferch ar y Gororau. Gellir yn hawdd ei ddychmygu yno'n dirmygu'r pardwn a gynigiwyd iddo ar yr amod ei fod yn edifarhau am y gwrthryfel.

Disgrifia Elis Gruffydd, croniclydd o'r unfed ganrif ar bymtheg, gyfarfyddiad cyd-rhwng Owain ac abad Glyn y Groes. Neges yr abad i arglwydd Glyndyfrdwy oedd ei

Yet in spite of promises, France's support of the uprising proved disappointing. A force of soldiers reached south Wales but their assistance did not succeed in strengthening the Welsh position. By 1406 support for Owain was on the wane. During that year both Anglesey and Gower yielded to the king; and because the land was laid waste by war, and trade with England prohibited, the Welsh could no longer sustain themselves. They held on to Aberystwyth until 1408, but when Harlech yielded early in 1409 Owain's wife and others of his family were taken captive to London. By degrees the rising petered out, though the king was obliged to maintain armies to police Wales for several years. Tradition holds that Owain went into hiding at his daughter's home in Herefordshire: he can easily be imagined there scoffing at the pardon offered to him in return for his submission to the king.

Elis Gruffydd, a sixteenth-century chronicler, describes a meeting between Owain and the abbot of Valle Crucis. The abbot's message to the lord of Glyndyfrdwy was that he had risen too soon. Owain has lived

fod wedi cyfodi'n rhy fuan. Mae'n arwyddocaol fod Owain wedi byw dros y canrifoedd yn nychymyg y Cymry, a bod cof gwlad wedi cadw ei enw ar lecynnau ac ogofeydd lle y bu, a lle y mae megis yn ymguddio o hyd. Ar drothwy milflwydd newydd, mae'n marchogaeth eto yn symbol grymus o hunaniaeth y Cymry.

Cynnwys y llyfr hwn ddehongliad artist o ddigwyddiadau ym mywyd Owain Glyn Dŵr ynghyd ag ymateb dau fardd. Paratowyd y lluniau a'r cerddi ar gyfer arddangosfa arbennig yn Llyfrgell Genedlaethol Cymru yn y flwyddyn 2000 i nodi chwechanmlwyddiant dechrau'r gwrthryfel.

through the centuries in the Welsh imagination, and folk memory has preserved his name in places and caves where he sheltered, and, so the story goes, may still be sheltering. At the start of a new millennium he rides again as a powerful symbol of Welsh identity.

This book contains an artist's interpretation of scenes in the life of Owain Glyn Dŵr together with the response of two poets to the artist's work. Pictures and poems were originally prepared for a special exhibition held at the National Library of Wales in the year 2000 to mark the six hundredth anniversary of the outbreak of the uprising.

Y Wers

Mae'n well gen i yma nac yn cyfri paderau
mewn mynachlog oer ar gwr y gororau;

mae 'na aelwyd yma, dan fendith Dewi,
a thân a chroeso i 'nghadw rhag rhewi,

er mai dim ond un o'r ddau walch sy'n gwrando,
a ph'run 'di p'run, fydda i byth yn cofio,

a be wn i am yr hen wrolgampau,
am chwarae'r ffon ddwybig neu drin y cleddyfau,

am redeg a nofio, saethu a marchogaeth?
ond o leiaf mae gen i glem am ddarllen barddoniaeth:

"dewch hogiau, canolbwyntiwch, mae mam yma'n gwrando,
pa gwpled o gywydd wnaethom ni ddysgu heno?"

ond waeth i mi siarad â'r ddesg yma fymryn,
ni all gwydr gau i mewn ddychymyg plentyn,

mae'u breuddwydion nhw allan yn crwydro'r machlud,
fel cysgodion hirion helwyr yn dychwelyd.

Lesson

In the high stone room at Valle Crucis
two brothers fill their books with words.
But trout are rising in the Dee,
and the trees are loud with summer birds.

The *milgi* whimpers to be free.
Sunset, and the shadowy woods
whisper with arrows of sharp light.
The boys yawn, weary of their books.

Brother John drones on all day,
Arithmetic, Latin, History,
while Owain dreams of drumming hooves,
himself the hero of his story.

His future, spinning its mythology,
rides towards him like a prophecy.

Gallai Owain fod wedi derbyn addysg gan fynachod Glyn y Groes

Owain may have received instruction from the monks of Valle Crucis

STIWDANTS

'Dyw'r hen stiwdants ddim fel y buon nhw,
y cymeriadau oedd yn llenwi'r coridorau
ag acenion Efrog, Cernyw a Chymru:

mae'r oes wedi newid,
eu hwynebau nhw i gyd yr un fath,
pwysau gwaith ar eu sgwyddau,

sŵn pres yn eu pocedi:
'does gan y rhain ddim amser
i gynnau sgwrs â hen gono fel fi;

mae nhw'n rhy brysur
yn rhoi mapiau ar gof a chadw,
cyfreithloni ffiniau,

dysgu ystyr y bylchau rhwng geiriau
rhag i dwrnai rhyw arglwydd arall
lithro rhyngddyn nhw:

ond wedyn, ddyliwn i ddim cwyno,
mae nhw mor ddiwyd
yn canolbwyntio'n astud,

baich dyn diog yw cadw trefn.

AT THE INNS OF COURT

The stinking city teems
beyond the window.
Owain, heartsick for home,
studies in shadow.

In London no one knows
his mother's language,
his lineage, his birth,
that green acreage

where the shadow of the kite
falls on a clean hill
above the carcass of a hare
fresh-killed.

In London's filthy streets
kites wheel and feed
on poverty and filth
and human need.

At the Inns of Court he learns
the Law's trap,
how men will die
for a mark on a map.

Dywedir iddo fwrw prentisiaeth yn Neuaddau'r Frawdlys yn Llundain

He is said to have served an apprenticeship at the Inns of Court in London

CADW'R FFIN

Roedd ein tylwyth ni yma o'r blaen,
yn meddwi blwyddyn, yn feddw fawr,
yn chwerthin ffarwél yng nghusanau merched:

ddaethon nhw ddim yn ôl,
ond mae eu henwau'n gleddyfau'n atseinio
yng nghân y beirdd, ar ein byrddau ninnau:

fe ddywed rhai ein bod ni yma
i glymu careiau coron Lloegr,
ond fe ŵyr rhai ohonon ni'n well:

cymrwch chi hwnna yn fanna,
yr un â draig ddigon carpiog ar ei darian,
mae ganddo fo gynlluniau,

wedi mopio ar fapiau,
yn treulio'r nosweithiau'n hel achau
yn lle ei bachu hi gyda'r hogiau

i yfed cusanau a meddwi ar ferched,
maes llafur milwr ar ffin estron,
mae gynnon ni i gyd ein cymhellion.

WAR

'Our other selves, the Scots',
the poet said.
But Owain fights with England,
and the snow stains red.

In the old north,
the land is starving,
the battle bitter,
the wind grieving.

White glens echo
with an iron sound.
Mountains shadow
frozen ground.

Blood freezes as it falls,
rubies on the snow,
and our other selves
make carnage for the crow.

Bu'n ymladd yn rhyfeloedd y brenin yn erbyn yr Alban

He fought on royal campaigns against the Scots

Sycharth

Yma daw'r penseiri geiriau
i feddwi ar y ffenestri lliw
a goglais y sêr ar dop bryn glas:

ail godi, ag odl a chynghanedd,
ogoniannau Dulyn a'r cyfandir,
a llenwi naw tŷ a naw wardrob â cherdd,

a chreu â'u mesurau gaer
i warchod teulu a chydnabod
a chynnal tras:

ac ar ŵyl, yng ngwres y tannau,
mae'r beirdd yn bwrw englynion yn bileri
ar ynys werdd,

cyn cerdded i le arall, a gadael palas
lle nad oedd ond crugyn mewn cilgant aur
a llwyn o goed ar dop bryn glas.

Sycharth

Sweet days
safe in the circle
of his people's praise.

Moated settlement,
a castle sound
behind its battlements.

With Margaret, his wife,
evenings at the hearth.
Such a good life.

Their children on the floor
played out in miniature
their games of war.

Mead and music flowed
inside the holy ring.
Iolo sang his ode

to wealth and power,
and poetry kept out the dark
for a fragile hour.

Yn ei lys yn Sycharth bu'n noddwr i feirdd a chantorion

His court at Sycharth offered patronage to poets and musicians

Gosod Ffin

('What do we care for those barefoot rascals!')

Yn droednoeth fe deimlai
gyhyrau'r tir dan ei fodiau:
cymoedd a dyffrynnoedd,
esgair a gwrychoedd yn ffiniau:

yn droednoeth medrai gerdded
yn hyderus o'r dwyrain
tua'r gorllewin, a lliwiau'r
pelydrau aur yn ei arwain:

yn droednoeth daeth gerbron
arglwyddi llwyd y goron,
pob map yn llwybr ar bapur,
llinellau cyfesur eu hacenion:

gwawdiwyd y teithiwr troednoeth,
y ffŵl naturiol ei ffiniau;
ni welai'r doethion yn eu bwtsias drud
bod y wlad i gyd dan ei wadnau.

The Map

The kite wheels over the land,
its eye on carrion,
its feathers dipped in blood,
and silence rises
from a smoking settlement.

The men come home to this –
strange soldiers at the border,
a broken wall, a house taken,
women and children leaving
with their burdens.

Borders shift, acre by stolen acre.
History dissolves from a nation's
memory, till the story
and the language of that place
turn to a mouthful of stones.

Dywedir iddo gyflwyno cwynion ynghylch tiroedd i senedd y brenin

He is said to have presented to parliament certain grievances concerning lands

HONI SOIT
PENSE

GLYNDYFRDWY

Nid tŷ ha' mo'r plasty hwn
neu feili neu bafiliwn,
nid tŵr rhyw uchelwr chwaith
lle gweinir twyll a gweniaith;
nid brawdlys na llys ydi'r lle,
nac eglwys a'i sŵn gwagle:

nid meini roed yma unwaith
ond hoelion trymion yr iaith
yn nistiau'r croeso distaw
a threfn y dodrefn di-daw;
y muriau yw'r ffrindiau ffraeth
yn neuadd y gwmnïaeth:

dacw fwrdd derw Glyn Dŵr
a bwrlwm beirdd yn barlwr,
cyfeillion yn coroni
â gwên iach ein t'wysog ni:
llety'r iaith yw'r man lle trig,
y gaer na wnaed o gerrig.

CORONATION

Then comes the word.
They crown him in his house
at Glyndyfrdwy,
hand him the sword,
his goblet, flag and staff,
his royalty.

Iolo takes up the harp
and sings his praise.
He wears the crown,
its ring of fire sharp.
Welsh gold weighs
heavy on his brow.

Then in a nightmare
he sees Glyndyfrdwy burn,
his house stripped bare,
the princely coronet
a crown of thorns,
a cruel snare.

Yng Nglyndyfrdwy cyhoeddodd ei gyfeillion ef yn dywysog Cymru

His friends proclaimed him prince of Wales at Glyndyfrdwy

Y Crydd

Mae'r tywydd 'ma wedi newid:
bu'n ha' mwll a marwaidd,
terfysg yn drwm ar sgwyddau,

a dynion yn cwyno dan eu gwynt:
chefais i ddim llawer o fusnes,
y bobol o ffwrdd yn brin ar y strydoedd,

a'r gwres yn droednoeth yn y llwch:
y rhai sydd â'r hawl i gamu drwy'r porth,
yn treulio'u harian yn y dafarn,

a'r lleill sy'n sleifio i mewn
i hwrjio eu geifr a'u cynnyrch gwlad
yn gwario'u horiau'n y cysgodion:

ond yna dyna'r storm yn taro
yn saethau tanllyd a sêr yn syrthio,
a thwrw traed noeth fel gefynnau'n torri:

stondinau ar chwâl a llestri'n chwilfriw,
a chwrw'n gawodydd am ein pennau:
defaid a moch a chŵn yn 'mochel,

a cheiniogau'n clindarddach
dan garnau'r meirch:
ac wrth ei heglu hi o'r helynt

welais i mo'i wyneb,
yr un â'r ddraig ar ei galon,
ond wedi'r storm, fe fydd 'na fusnes,

a milwyr o ffwrdd a phres i'w wario,
a llwybrau mydlyd, a nentydd i'w croesi:
mae'r tywydd 'ma wedi newid.

Ymosododd Owain a'i ddilynwyr ar fwrdeistref Rhuthun

Rhuthun Market

This is the day he wakes before first light
to find his horse stands ready in the yard,
its bridle gleaming in starlight.

This is the day he breaks through the town walls
where Lord Grey's obedient tenantry
are setting out their stalls.

This is the day milk flows and apples dance,
geese hoist their wings and run and feathers fly.
The horses prance.

This is the day that Owain breathes out fire
on grovellers, boot-lickers and slavish curs,
and shows Lord Grey a liar.

This is the day he bursts into the towns
where English lords raise taxes for the King,
and tears injustice down.

This is the day his dream becomes a deed,
when an old idea takes up its sword to wake
an imagined nation from sleep.

Owain and his followers attacked the borough of Rhuthun

Gwylanod

Doedd dim ond craig yma
pan godai ein cyndeidiau
ar lethrau'r gwynt;
craig a Phumlumon ar y gorwel
yn cadw'r ffin:

yna yn nannedd y môr
codwyd muriau,
a ninnau'n eu hwylfyrddio
gan sgrechian drwy'r agennau
a herio'r saethau:

gyda'r blynyddoedd
aeth y gaer yn un â'r graig:
chwaraeai'r tonnau
â'i hymylon caregog
a ninnau'n nythu yn y tyrau noeth,

a'i heglu hi weithiau
pan ddeuai'r milwyr llwglyd
ar eu hald:
yna'n ddirybudd
fe'n hysgydwyd ni a'n poenydwyr o'n hepian

gan glochdar arfau a charnau meirch:
am chwe mis 'chawsom ni ddim clwydo,
a'r peiriannau'n diasbedain
a'r gwaywffyn yn fflam:
yna, a thonnau'r gaeaf

yn dringo Pen Dinas
gostegodd y storm:
mae'r tyrau'n aros ar y graig arw,
ond cawn nythu'n y gwanwyn
dan faneri newydd.

Aberystwyth

Red sail in the bay,
a dragon's wing, a flame.

A cry of white gulls
like English souls.

Under that crumpled sheet
sea-creatures sleep.

Our fortune's at the turn.
The royal banners burn.

From drawbridge to battlements
we take the settlement.

Surely in the castle by the sea
this will be our century.

Buddugoliaeth fawr iddo oedd cipio castell Aberystwyth

One of his greatest triumphs was the capture of Aberystwyth castle

Tua'r Senedd

Fe ddois o gadernid
hen gwmwd Llanllechid,
a'r gwrychoedd dan wyddfid
a'r llechi'n las
ar lethrau Braichmelyn
a Llidiartygwenyn,
a'r Ogwen drwy'r rhedyn
yn rhedeg ei ras:

gadael lloches Eryri
a chreigiau'r Carneddi,
dilyn bwlch drwy'r clogwyni
i gyfeiriad y traeth,
yn bedwar yn cychwyn
drwy goed Aberglaslyn,
pedwar cennad yn disgyn
cyn sicred â saeth:

tros fawnog Trawsfynydd,
a gelltydd Meirionnydd,
nes croesi i'r wlad newydd
a'r Ddyfi'n ei hwyl:
mae yma lysgenhadon
o Ffrainc a'r Iwerddon
yn cyflwyno'u llawroddion
ac yn cadw gŵyl:

helm a chleddyf i'r arglwydd,
a dwyfronneg ysblennydd,
a'r hen wlad gyda'r gwledydd
yn rhodio yn rhydd,
a chanddom ni'n pedwar
fe gaiff gwmni digymar
a llechen lân, lafar
o Gae-llwyn-grydd.

Cynullodd senedd o'i ddilynwyr a'i gynghreiriaid ym Machynlleth

Assembly

A parliament of crows
quarrel and caw in the trees.
Above Machynlleth,
flags flutter among the tents
in the evening air.

Owain and his allies,
armies on the move.
They settle, set up camp,
a hearth, a chair
to throne a poet and a prince.

Under canvas to keep out the rain,
an assembly in a ring of stones.
Like an eisteddfod, they strike camp,
move on, leaving circles
fading in crushed grass.

Their days are numbered, but for now
they're heroes and will be remembered.
Crows clean the fields, and wheel
gathering in the trees, hungry
for the carrion of war.

He convened a parliament of followers and allies at Machynlleth

Baneri

Trigain o longau dan faneri:
ystyria lili'r maes
llynges fel angyles i'n gwaredu:
pa fodd y mae hi'n tyfu
wedi eu gwisgo fel Solomon yn ei ogoniant:
gwywa y gwelltyn, syrth y blodeuyn
a'u hacenion fel beirdd yn cynganeddu:
nid yw hi'n llafurio nac yn nyddu
a ninnau fel concwerwyr:
digon i'r diwrnod ei ddrwg ei hun
yn llachar yn cyrchu Lloegr ...
dyddiau dyn sydd fel glaswelltyn.

Milford Haven

Across the haven
comes the fleet from France,
sea-birds hovering.

Wind in the sails steady,
sixty armed ships,
French soldiers ready.

The great ships dance
out of a rough sea
into the haven's arms.

Sailors throw the ropes,
an army bears ashore
all Owain's hopes.

Behind is the white bird's shadow,
but on the road ahead,
the shadow of the crow.

Glaniodd llu o Ffrancwyr yn ne Cymru i gefnogi'r gwrthryfel

A French force landed in south Wales in support of the uprising

Iaith y Groes

… Ac fe hawliwn iaith Duw fel cyfalaf,
a'i lais fel gwydr lliw yn ein heglwysi,
gyrru ach rhyngom ni a'r Goruchaf,
ac o'r diwedd gwireddu gair Dewi;
fraich ym mraich codi baich y rhai bychain
dan epistol daearol gwlad arall,
troi ein hanes a'n tir ni ein hunain
yn bair o greu a dyheu a deall:
hawliwn hyn fel cenedl a'n henwau
wedi eu torri'n y meini a'r mynydd,
a haul Ebrill yn ddiogel ei lwybrau
yn ein dwyn ni ar siwrne i wlad newydd:
gwnawn hyn â sêl tywysogion a saint
y Gymru a gollwyd, dyna'n breuddwyd a'n braint.

Pennal
31 Mawrth 1406

The Pope of Avignon

Before the French pope,
by quill and candle
they unroll the scroll
from holy Pennal.

The year of our lord,
fourteen hundred and six.
No blood, no sword,
but Owain's word.

He turns obedience
from Rome to Avignon,
trading allegiance
for freedom's chance.

'Good clerk, write what we ask:
Two universities;
St Davids a metropolitan see;
Welsh bishops; all dues
to remain Wales' revenue.'

All is promised.
But Rome defeats
Avignon,
so all's lost.

Anfonodd lythyron o Bennal yn datgan ei fwriad i fod yn deyrngar i bab Avignon

Letters sent from Pennal declared his intention of transferring allegiance to the pope of Avignon

Brain

Chwech yn Harlech yn berlau
llachar, nes i garchar gau
ei ddwrn am ein garddyrnau;

o rywle mae marwolaeth
yn dod ar ras fel dŵr ar draeth
yn lanw o elyniaeth,

a ninnau yma'n hunain,
heb fur, heb oreuwyr, fel brain
a gwaed ar big ac adain,

yn clwydo mewn caledi
yn y tyrau a'r gwteri,
a neb i'n hamddiffyn ni:

cwfaint o frain yn cofio
rhyddid aur ei freuddwyd o
fel ddoe, cyn i ryfel dduo

'r gorwel, a llongau'r gelyn
a'u harfau'n cadw'r terfyn
yn gadwynau hwyliau'n fan hyn,

a chau y brain yn chwe Branwen
yn y tŵr heb herwr, heb Ben,
yn adar mud, di-ddrudwen.

Harlech

This is freedom's last day.
Mortimer is dead, the castle taken.
The women are led away,
Owain's dream broken.

Left in his little kingdom,
the crow and the kite
pick over a dragon's bones
in the dying light.

Pan adfeddiannwyd Harlech gan y Saeson, carcharwyd gwraig a phlant Owain

When the English recaptured Harlech, Owain's wife and children were imprisoned

AR HERW

O'r de dros rosdir diarth - anelai
a'r cŵn hela'n cyfarth,
a thrwy'r gwyll tywyll a'r tarth
dyma syched am Sycharth:

âi'r lôn fel y cythrel heno - i'r diawl,
drwy dalaith ddi-groeso
y glaw oer, nes gwelai o
sêr unig cysur yno:

sêr niwlog y siwrne olaf - o'r de,
drwy dywydd, drwy aeaf,
a'r brigau ar gloddiau'n glaf
yn aros y nos nesaf:

niwl oer ddôi'n ôl i aros, - niwl unig
creulonach na'r cyfnos,
niwl anial gwely unnos,
herwr a'i niwl hanner nos,

a'i syched am gwrw Sycharth, - am feirdd,
am fyrddau, am fuarth;
er y gwynt estron o'r garth
daw hebog drwy'r deheubarth.

OUTLAW

On the run from the king's men,
he lies low in the bracken like a fox,
living on berries, flesh of rabbit and deer.
At night he goes to earth, making a den
in thickets and ravines among the rocks
of the mountain wilderness. For fear
of the wrath of English soldiery,
safe houses close their doors against him.
He sleeps in the hay with rats, and at first light
moves on. Only his son Maredudd
and a faithful few stay with him.
Where now is Iolo who by candlelight
at Sycharth sang his praise?
Gone are those days.

Bu'n ymguddio am flynyddoedd wedi i'r gwrthryfel beidio

He remained in hiding for years after the collapse of the rising

Taid

'Mae'r helmed hon yn drom, taid,
mae'n rhaid bod eich pen yn galed a'ch sgwyddau'n llydan:
a phwy fu'n pwytho y faner, taid?

yn trwsio rhwygiadau'r blynyddoedd
a gwau arian yn nhân y ddraig:
lle gawsoch chi dolc yn y darian, taid?

a fyddwch chi'n deffro yn chwys oer weithiau,
yn cofio gwaywffon yn hollti,
neu sŵn saeth yn sibrwd wrth drywanu'r awel?

ai dyna pam 'dach chi'n methu cysgu?
a ga' i chwarae â'ch cleddyf, taid,
ei chodi'n uchel a chyhoeddi heddwch?'

'faint yw eich oed chi heddiw, taid,
a'r bobol o bell yn dwyn cardiau a chyfarchion?'

'Dwi'n rhy hen, fachgen, i orchymyn, paid!

os llwyddi di ei thynnu o'i gwain ystyfnig
fe gei di gyhoeddi llond gwlad o heddwch
a llunio o'r newydd dy genedl dy hunan.'

The Sleeping King

Herefordshire. Fourteen-fifteen. December.
The red earth ploughed and sown with winter barley.
At his daughter's house, the house of Scudamore,
Owain, in the last months with his family,

exhausted by the long campaign fought
on the run, and disappointment's sorrow.
To the house at Monnington that winter brought
premonition, and a stranger's shadow.

Somewhere in our darkest history
the body of a sleeping king lies low
under the earth, under anonymous trees
of the border forests. Where is he now?

From the grave, below the unmarked stones,
six hundred years of myth grow from his bones.

Gellir dychmygu Owain yn dirmygu'r pardwn brenhinol a gynigiwyd iddo

Owain can be imagined scoffing at the royal pardon offered to him

CRONOLEG		CHRONOLOGY
geni Owain	**1359?**	Owain's birth
profiad milwrol	**1384**-7	military experience
gorseddu Harri IV	**1399**	accession of Henry IV
cyhoeddi Owain yn dywysog Cymru	**1400**	Owain proclaimed prince of Wales
y Cymry'n cipio castell Conwy	**1401**	Conwy castle captured by the Welsh
ymgyrchoedd brenin Lloegr yng Nghymru	**1401-2**	English royal campaigns in Wales
y Tywysog Harri yn llosgi cartrefi Owain yn Sycharth a Glyndyfrdwy	**1403**	Prince Henry burns Owain's homes at Sycharth and Glyndyfrdwy
y Cymry'n cipio cestyll Harlech ac Aberystwyth	**1404**	Harlech and Aberystwyth castles captured by the Welsh
y Cymry'n dioddef colledion ym mrwydrau y Grysmwnt a Brynbuga	**1405**	Welsh forces defeated at Grosmont and Usk
cymorth milwrol o Ffrainc i'r Cymry	**1405**	the Welsh receive military aid from France
Owain yn cefnogi brenin Ffrainc a phab Avignon	**1406**	Owain pledges support for the French king and Avignon pope
Môn a Gŵyr yn ildio i'r brenin Harri IV	**1406**	Anglesey and Gower yield to Henry IV
Aberystwyth a Harlech yn ildio i luoedd Lloegr	**1408-9**	Aberystwyth and Harlech yield to English forces
marw Owain wedi blynyddoedd o ymguddio	**1416?**	death of Owain after years in hiding

Llyfryddiaeth Further Reading

R. R. Davies, *The revolt of Owain Glyn Dŵr* (Oxford, 1995, reprinted 1997)

Elissa R. Henken, *National redeemer: Owain Glyndŵr in Welsh tradition* (Cardiff, 1996)

Geoffrey Hodges, *Owain Glyn Dŵr: the war of independence in the Welsh Borders* (Woonton, 1995)

J. E. Lloyd, *Owen Glendower: Owen Glyn Dŵr* (Oxford, 1931, reprinted Felinfach, 1992)

Glanmor Williams, *Owain Glyndŵr*, 2nd rev. ed. (Cardiff, 1993)